EL MONSTRUO DE LAS GALÁPAGOS

Mónica Bazaga Alonso

Esta es la historia de un hombre que hizo un largo viaje para encontrarse a sí mismo. Es la historia de Juan, pero podría ser la tuya, podría ser la mía.

Por eso, porque mientras lees estas líneas podrías ser ya el protagonista, quisiera contar como Juan se convirtió en el héroe de su vida. Quizás te sirva como idea para escribir tu futuro, o quizás sólo consigas entender el presente.

Cada uno tenemos nuestros propios billetes de ida y vuelta, personales e intransferibles. No se puede evitar perder alguna ida, romper una vuelta; lo importante es que cuando decidas hacer tu viaje tengas un billete sin caducar con tu nombre escrito.

Juan encontró su billete y cogió un barco.

Un gran trasatlántico que navegaría hacia su destino.

TEXTO, EJERCICIOS Y NOTAS MÓNICA BAZAGA ALONSO
ASESORAMIENTO ÁNGELA MARTI
PORTADA ANN MUKTAREL
EDITING MICAELA AVESANI

La Spiga languages

CAPÍTULO I
ANTES DE ZARPAR

¡Buenos días a todos los oyentes de Radio Zeta! Son las siete en punto.

Normalmente Juan apagaba la transmisión en ese momento y se quedaba en la cama cinco minutos más intentando encontrar un buen motivo para empezar el día.

Hoy, un fuerte dolor de cabeza le impedía hacer cualquier movimiento brusco[1], por eso dejó que el Señor Buenos Días siguiera hablando desde la mesilla.

Quince minutos después aún no se había levantado y ya pesaban sobre su conciencia tres errores.

El primero era haber bebido demasiado la noche anterior, el segundo, escuchar noticias de hambre, guerras y muerte antes de abrir los ojos, y el tercero, permitirse quince minutos más sabiendo que llegaría tarde al trabajo.

Para evitar seguir equivocándose sin hacer nada, lo mejor era ponerse en marcha y esperar que al menos la rutina le salvara del caos.

Todavía no sabía que no hacer nada puede ser un error, y que huír es siempre la mayor de las equivocaciones.

Corrió de la cama a la ducha, de la ducha al armario, del armario a la cocina. A cada paso se sentía más irritado, indignado y enfadado consigo mismo y con el mundo.

El olor del café y las tostadas calientes le reconfortaron[2]. El desayuno era la única cosa agradable de sus mañanas.

Decidió tranquilizarse y disfrutarlo.

Desde la ventana de la cocina se veía un cielo gris. Las pocas hojas que aún quedaban en los árboles temblaban en las ramas antes de ser arrancadas por un viento gélido[3].

Juan se concentró en una de ellas. Pensó que le gustaría ser arrastrado por el viento hasta la otra parte del mundo.

Sentirse ligero y no pensar en nada.

Cuando la hoja se posó[4] en la acera se dio cuenta de que apenas había tráfico.

1. Desde que suena el despertador hasta que se toma un café, Juan realiza una serie de actividades. Y tú, ¿qué haces por la mañana? Descríbelo utilizando los siguientes verbos:

   despertarse - levantarse - ducharse
   vestirse - desayunar - salir - ir

   ....
   ....
   ....
   ....
   ....
   ....

2. Esa mañana Juan no estaba de buen humor. Califica los siguientes estados de ánimo como positivos o negativos y después relaciona cada uno con su contrario:

Alegre	Relajado
Preocupado	Triste
Desesperado	Pesimista
Tranquilo	Eufórico
Feliz	Nervioso
Optimista	Deprimido

3. Imagina ahora una causa que justifique cada uno de los estados anteriores y construye frases siguiendo el ejemplo:

   Ej: Juan está preocupado porque se ha levantado tarde.

   ....
   ....
   ....
   ....
   ....
   ....

---

1. **Brusco:** *repentino; sin fases o grados intermedios.*
2. **Reconfortar:** *tranquilizar. Dar fuerza y ánimo.*
3. **Gélido:** *muy frío.*
4. **Posarse:** *detenerse después del vuelo.*

Se asustó pensando que era tardísimo, que el reloj de la cocina se había atrasado, y encendió la radio para comprobar la hora.

–Buenos días de nuevo, amigos de Radio Zeta. En esta mañana de domingo, muchos de vosotros estaréis todavía en la cama, inaugurando el mes de diciembre al calor de las sábanas. Dedicado a vosotros, este bolero[1] de Juan José: "Empezar de nuevo".

Había dicho domingo, ¡domingo! Juan lo confirmó en el calendario de la pared. Uno de diciembre, domingo, debajo, escrito a mano en rotulador rojo: ¡No Kiko! Disponer por sorpresa de un día libre habría sido una buena noticia para cualquiera, sin embargo, Juan se entristeció.

Estaba preparado para afrontar una jornada de trabajo, no para sobrellevar otro domingo solo.

No siempre había sido así. Por eso ahora estaba tan triste.

Hace un año, Ana y Kiko le llevaban el desayuno a la cama y le hacían cosquillas[2] hasta que sin parar de reír cogía a Kiko y lo alzaba mordisqueándole los piececillos. ¡Qué buen desayuno los pies de Kiko!

Todavía no sabía cómo ni cuándo las cosas habían empezado a cambiar. No había estado atento a las señales. No se había dado cuenta de que estaba perdiendo todo lo que tenía, su mujer y su hijo.

Un sábado volvió tarde de trabajar y encontró una nota de Ana:

"Me voy Juan, nos vamos. Aquí ya no somos felices y tu no notarás nuestra ausencia[3], como no has notado que hemos estado aquí.

Viviremos en casa de mis padres por un tiempo, hasta que encuentre un trabajo y un piso. Llámame cuando quieras ver a Kiko. Cuídate".

Juan habría querido decir algo, hacer cualquier cosa para que volvieran. Pero no lo hizo. Se quitó el abrigo, abrió una cerveza y se sentó en el sofá.

4

4. **Cuando Juan se da cuenta de que es domingo se entristece. ¿Qué harías tú si tuvieras un día libre? Descríbelo utilizando el condicional.**

   Ej: Si yo tuviera un día libre quedaría con una amiga, iríamos al cine y después cenaríamos en un restaurante.

   ....
   ....
   ....
   ....
   ....
   ....

5. **Ana le ha dejado una nota a Juan donde le explica ciertas cosas. Vamos a pasar el texto a estilo indirecto:**

   Ana le dijo a Juan que......................... porque ....
   y que...
   Añadió que...
   hasta que...
   Por último le propuso...
   y que...

6. **Piececillos es un diminutivo de pies. Completa las frases formando el diminutivo de la palabra entre paréntesis:**

   a) He dejado mi libro en la (mesa)....................................de noche.

   b) ¡Qué (chico).............................más gracioso!

   c) A través de la (ventana)....................................del avión se veía el cielo azul y alguna (nube)...........................blanca.

   d) Me gusta pasar los domingos en el (jardín).........................de mi casa. En primavera se llena de (flores)...................de colores.

   e) ¿Me das un (cigarro)..., por favor?

   f) Tengo una pecera con dos (peces)....................................rojos.

   g) ¿Cuántos (azúcar)......................................te pongo en el café?

---

1. **Bolero:** *canción romántica de ritmo lento, típica de Méjico.*
2. **Cosquillas:** *sensación que produce, sobre una parte del cuerpo, una serie de toques rápidos y ligeros.*
3. **Ausencia:** *falta de una persona del lugar donde está habitualmente.*

Pasado un año seguía sin decir nada; sin hacer nada.

Había llegado el momento de actuar.

Tomó lápiz y papel y se sentó dispuesto a escribir todas las opciones que se le ocurrieran para dar un cambio radical a su vida.

El domingo pasaba y continuaba frente al folio en blanco incapaz de concretar una idea, de esbozar[1] un proyecto.

Estaba empezando a desesperarse cuando le vinieron a la mente los nombres de grandes personajes que habían cambiado el curso de la historia: Marco Polo, Cristobal Colón, Carlo Magno, Ulises, Don Quijote… ¡Ya está! ¡Un viaje! Un viaje es siempre el inicio de un gran cambio.

Era un buen plan, no cabe duda. Juan había decidido utilizar su billete.

El lunes se presentó en la agencia de viajes más cercana al trabajo con mucho ánimo y poco dinero.

Cuando explicó que quería hacer un viaje de tres semanas, partiendo el 24 de diciembre, sin destino determinado, pero lo más lejos posible y por la cantidad de dinero que tenía; la señorita que le atendía suspiró[2] profundamente y contestó:

–Para empezar, con ese dinero para tres semanas no le llega ni para un hotelito en los alrededores[3] de Madrid. Segundo, si pretende irse lejos, imagino que será en avión. Como comprenderá, aunque le encontrara un destino muy económico, el vuelo sólo cuesta el doble de su presupuesto.

–¿Por qué no en barco?– dijo Juan acordándose de los viajes de sus héroes.

–Eso ya puede ser una idea. El problema es que no se organizan muchos cruceros en Navidad. La gente prefiere pasar estas fechas en familia, incluídos los marineros, que por añadidura[4] son supersticiosos.

–¿Qué tipo de superstición[5]?

–Verá; los hombres de mar respetan mucho sus propias leyendas[6]. Según ellos, se debe evitar pasar el inicio de año

7. Pasado un año equivale a cuando hubo pasado un año. Según esto transforma las siguientes frases:

a) Cuando hubo comprado el billete, se fue de viaje.

....

b) Cuando hubieron llegado a Madrid, llamaron a su madre.

....

c) Cuando hube alquilado una casa, trasladé todas mis cosas.

....

d) Cuando hube hecho la ducha, salí a comprar el pan.

....

e) Cuando hubieron cerrado las tiendas, abandoné el centro comercial.

....

8. Subraya los términos relacionados con el viaje que aparecen en el texto. ¿Conoces otros? Haz una lista.

....

....

....

9. Imagina que Juan decide viajar en avión. Describe lo que tendría que hacer utilizando las siguientes palabras:

aeropuerto - maletas - facturación - puerta de embarque - vuelo
retraso - salida - despegue - azafata - aterrizaje - llegada

....

....

....

....

....

---

1. **Esbozar:** *presentar una idea en líneas generales.*
2. **Suspirar:** *respirar profunda y ruidosamente.*
3. **Alrededores:** *zona que rodea un lugar o una población.*
4. **Por añadidura:** *encima, además.*
5. **Superstición:** *creencia que no tiene relación con la fe religiosa o que no se puede explicar por la razón. Tendencia a atribuir carácter mágico u oculto a determinados acontecimientos, provocada por el miedo o el desconocimiento.*
6. **Leyenda:** *relación de acontecimientos extraordinarios y admirables, que parecen imaginarios más que verdaderos.*

en alta mar porque corres el riesgo de no volver a tierra el nuevo año.

La realidad es que en este periodo del año las corrientes marinas[1] son especialmente violentas.

–¡Vaya, no parece muy alentador[2]! No está en mis planes morir ahogado[3], pero sí empezar una nueva vida. Por eso, no se…, creo que esta historia me anima más que asusta.

–Mire– dijo la chica señalando la pantalla[4] de su ordenador, –lo que le decía, sólo cinco cruceros programados para esos días:

Tres son en el mar Mediterráneo, que muy lejano no es que digamos. Uno de lujo a Egipto, que duplica su cantidad y éste a las Islas Galápagos que si no son las antípodas[5], cerca andan.

–Perfecto. Dígame el precio más económico de un pasaje[6] para éste último.

–Veamos… El billete en clase turista es un poco más caro de lo que me decía al principio. Es un transatlántico[7] de lujo, con todos los servicios que pueda imaginar: restaurante, piscina cubierta, sauna, sala de fiestas, casino…

–Vale, vale. No me interesa. Sólo quiero un pequeño camarote[8] con una cama y la comida.

–Le puedo mirar si queda libre algún puesto de los destinados a la tripulación[9]. Están equipados con lo básico e incluyen un régimen de comida igual al de los marineros.

–Justo lo que necesito. Es usted muy amable.

–Ya está. He confirmado la reserva. Fíjese, es hasta más barato de lo que pensaba. Le sobrará algo para tomarse una copa en cubierta[10] y celebrar el fin de año.

–¡Genial! ¡Hoy es mi día!

Aprovechando el buen humor, nada más entrar en casa llamó a Kiko y Ana.

Fue fácil contagiar[11] a Kiko su optimismo.

Sobre todo porque le prometió que le traería un regalo magnífico y que haría millones de fotografías a las tortugas.

10. Según la leyenda marinera se debe evitar empezar el año en alta mar. Seguramente tú conoces otras supersticiones relacionadas o no con los viajes. ¿Qué se puede o no se debe hacer según ellas? Escribe cinco ejemplos utilizando las siguientes perífrasis y verbos de obligación:

Tener que: ....

Hay que: ....

Deber: ....

Ser necesario: ....

Ser obligatorio: ....

11. Como ya sabes, el transatlántico dispone de toda una serie de instalaciones donde se pueden realizar diversas actividades. Construye frases impersonales con se que contengan las cosas que es posible hacer en los siguientes lugares. Acuérdate de conjugar el verbo sólo en singular:

Ej: En el restaurante se puede comer y cenar.

a) En la piscina ....

b) En la sauna ....

c) En la sala de fiestas ....

d) En el casino ....

e) En la sala de televisión ....

f) En el gimnasio ....

---

1. **Corrientes marinas:** *movimientos de masas de agua en el mar.*
2. **Alentador:** *que da ánimo.*
3. **Ahogado:** *persona que ha muerto por no poder respirar, especialmente dentro del agua.*
4. **Pantalla:** *superfie de cristal en la que se forman las imágenes en el ordenador, el televisor y otros aparatos electrónicos.*
5. **Antípodas:** *punto de la Tierra que es opuesto a otro.*
6. **Pasaje:** *documento o billete que da derecho a ser transportado en un barco o avión.*
7. **Transtatlántico:** *embarcación de gran tamaño destinada al transporte de personas y que recorre grandes distancias.*
8. **Camarote:** *habitación pequeña de un barco.*
9. **Tripulación:** *conjunto de personas que trabajan en el funcionamiento y el servicio de una nave.*
10. **Cubierta:** *suelo superior de una embarcación.*
11. **Contagiar:** *comunicar ideas o formas de pensar.*

Ana fue más fría. Agradeció que la avisara con tiempo para organizarse las vacaciones y le deseó encontrar lo que buscaba.

Juan tuvo la sensación de que aprobaba su decisión cuando le preguntó por la fecha de regreso. Quería ir a esperarlo con Kiko, que estaría deseando verle.

Las cosas no podían ir mejor; por el momento.

CAPÍTULO II
EL VIAJE

–Se ruega a los pasajeros del Transatlántico Neptuno, con destino a las Islas Galápagos, suban a bordo[1] por la rampa[2] ocho.

Juan pagó, se abrochó[3] el abrigo y salió de la cafetería del puerto.

Una densa niebla cubría el muelle[4] y se helaba hasta el aliento[5].

Un variopinto[6] grupo hacía cola[7] frente a la rampa.

–Poca gente para un barco tan grande– se dijo Juan. –La chica de la agencia tenía razón: no debe de ser muy normal hacer un viaje en Navidad.

En cubierta les esperaban para cargar su equipaje y guiarles hacia la sala de recepción.

Dentro del barco se respiraba un ambiente tranquilo y acogedor[8] similar al de cualquier buen hotel.

–Buenas noches y bienvenidos.– dijo el capitán una vez que todo el mundo estuvo reunido en la sala. – Les agradezco que hayan decidido pasar estos días tan especiales en nuestra compañía. Para mí y para toda la tripulación será un placer navegar con ustedes hasta las Islas Galápagos. A continuación les acompañarán a sus camarotes y dentro de una hora les ofreceremos la cena. Que Neptuno nos proteja[9] y nos devuelva a este puerto.

La última frase del capitán recordó a Juan la superstición

12. **Se ruega a los señores pasajeros que suban a bordo. Recuerda que con verbos de orden o deseo + que, utilizamos el subjuntivo. Según esto, completa las frases conjugando los verbos entre paréntesis:**

a) Quiero que me (devolver) .... el libro que te presté la semana pasada.

b) Mi jefe me ha pedido que (ir) .... a recoger el correo.

c) Me encanta que mis amigos (venir) .... a visitarme.

d) El profesor nos ha prohibido que (hablar) .... durante la clase.

e) Te suplico que me (decir) .... la verdad.

f) Te prohibo que se lo (contar) .... a María.

13. **Juan se abrochó el abrigo. Relaciona los siguientes verbos con la prenda de vestir correspondiente.**

Abrochar	cremallera
Subir	cordones
Anudar	camisa
Atar	pantalón
Abotonar	corbata
Cerrar	cinturón

14. **El capitán se despide con un deseo. ¿En qué acontecimientos expresarías los siguientes deseos?:**

a) ¡Qué seas muy feliz en tu día!

b) ¡Qué apruebes!

c) ¡Qué seáis muy felices para siempre!

d) ¡Qué te lo pases bien!

e) ¡Qué venga con un pan debajo del brazo!

---

1. **A bordo:** *sobre la embarcación, en la nave.*
2. **Rampa:** *plano inclinado dispuesto para subir y bajar por él.*
3. **Abrochar:** *cerrar con botones una prenda de vestir.*
4. **Muelle:** *obra construida en la orilla del mar para hacer más fácil el embarque y desembarque.*
5. **Aliento:** *aire que se expulsa por la boca; respiración.*
6. **Variopinto:** *que presenta muchas formas o aspectos diferentes.*
7. **Cola:** *fila de personas que esperan guardando un turno.*
8. **Acogedor:** *agradable y cómodo.*
9. **Proteger:** *impedir que una persona o cosa sufra daño o esté en peligro.*

de los marineros. ¡Qué podría pasarles en un barco como éste!

Vio alejarse a todos los viajeros mientras él y su maleta permanecían inmóviles en espera de alguna indicación.

Finalmente apareció un marinero de barba gris, con el pelo largo recogido en una coleta[1] que le tendió la mano.

–Usted debe de ser el señor que viajará con nosotros en la parte baja. Soy Javier León, jefe de la sala de máquinas.

–Sí, me llamo Juan. Encantado– respondió ofreciéndole una mano mientras con la otra cogía la maleta.

Le condujo por un laberinto de pasillos y escaleras de hierro, hasta detenerse frente a una pequeña puerta metálica.

–Esta es su habitación. La última puerta es la mía, si necesita algo, venga a verme a cualquier hora.

Hoy cenará con el resto en el restaurante principal. A partir de mañana comerá con la tripulación en la cocina. Buenas noches.

Un tipo de pocas palabras. Creo que nos llevaremos bien– pensó Juan, mientras el marinero se alejaba de espaldas a él.

Confirmó que su cuarto estaba realmente equipado con lo básico: litera[2], mesa, silla y armario.

Todo de dimensiones reducidas excepto el ojo de buey[3], que ocupaba casi toda la pared frontal. Fuera estaba completamente oscuro.

En el restaurante se encontró con el doblede tripulación que de pasajeros. La mayoría de los marineros era bastante joven y se les notaba incómodos en sus uniformes de gala[4].

Estaban de pie al fondo de la sala, peinados y sonrientes como esperando que alguien les hiciera una fotografía.

Cuando todos los viajeros estuvieron sentados, se presentaron, saludaron y desaparecieron.

Juan echó un vistazo[5] al resto de las mesas. La única característica común entre toda aquella gente, era que todos

15. **Fíjate en la descripción de Javier. Relaciona los siguientes adjetivos con su contrario y después selecciona los que tú atribuirías a Javier:**

gordo	bajo
esbelto	delgado
huesudo	feo
alto	corpulento
débil	rubio
guapo	musculoso
moreno	anciano
joven	fuerte

16. **Juan piensa que el marinero es un tipo de pocas palabras, es decir, un hombre que habla poco. ¿Qué queremos expresar cuando decimos que alguien es ...?:**

a) Quisquilloso: ....

b) Irascible: ....

c) Fanfarrón: ....

d) Terco: ....

e) Cobarde: ....

f) Atento: ....

g) Listo: ....

17. **Describe con tus propias palabras el carácter de Javier.**

....

....

....

....

....

....

---

1. **Coleta:** *peinado que se hace recogiendo el pelo y sujetándolo junto.*
2. **Litera:** *cama fija de los camarotes de un barco.*
3. **Ojo de buey:** *ventana redonda.*
4. **Uniforme de gala:** *traje más elegante que el que se usa ordinariamente, se lleva en fiestas y ocasiones solemnes.*
5. **Echar un vistazo:** *realizar una mirada rápida y sin atención.*

viajaban acompañados, formando familias, parejas o grupos. Se dijo que tenía más en común con los marineros que con cualquiera de los presentes, y se alegró de no tener que volver al restaurante.

A la mañana siguiente, en el desayuno, lo corroboró: los marineros eran mucho mejor compañía.

En gran parte eran callados y taciturnos[1], pero no faltaban un par de bromistas[2] que alzaban la voz y hacían reír a todos con sus comentarios.

Todos respetaban a Javier, que aunque si prácticamente no abría la boca, conseguía ser el centro de atención. No estaba claro si este tratamiento se debía a su cargo, a su edad o a su carácter.

También a Juan le imponía respeto, y además le intrigaba. Pensó que por la noche pasaría a hacerle una visita para intentar conocerle mejor.

Durante el día, se dedicaría a recorrer las instalaciones del barco.

El trasatlántico era una especie de ciudad flotante[3]: en la primera planta se encontraban el restaurante, una piscina cubierta, un gimnasio, un salón con televisión y juegos de mesa, un bar y una sala de fiestas.

La planta inferior estaba ocupada por las habitaciones de primera clase, y debajo de éstas, las de clase B.

Los camarotes de Juan y de la tripulación se hallaban en el piso menos cuatro, que estaba ya al nivel del mar.

Por último, había una planta sumergida cuyo acceso estaba prohibido a todo el que no formara parte de la tripulación. Contenía la sala de máquinas y quién sabe qué más.

–Seguramente es la parte más interesante. Esta noche le pediré a Javier si puedo visitarla con él. Al fin y al cabo[4], aquí dentro comparto más la vida de los marineros que la del resto de los viajeros.

Cuando llegó la noche, Juan subió a cubierta para tomar un poco el aire.

18. **Juan prefiere la compañía de los marineros. Expresa tus preferencias ante las siguientes posibilidades. Utiliza los siguientes verbos:**

gustar, detestar, preferir, encantar, soportar, disfrutar

a) Viajar en tren/en avión.

....

b) Comer en casa/en un restaurante.

....

c) Vacaciones en el mar/en la montaña.

....

d) Ir al cine/ver una película en casa.

....

e) Leer/visitar un museo.

....

f) Ir de copas/ir de tapas.

....

19. **A la mañana siguiente, lo corroboró. Construye frases en futuro a partir de los siguientes enunciados:**

a) Dentro de dos horas (ir)

b) Cuando pasen algunos días (tener)

c) Pasado mañana (volver)

d) El próximo mes (poner)

e) El año que viene (ser)

20. **¿Podrías transformar las oraciones anteriores en pasado? Utiliza el pretérito perfecto simple.**

....

....

....

....

....

---

1. **Taciturno:** *que es callado, silencioso y triste por temperamento.*
2. **Bromista:** *que dice o hace cosas para hacer reír o engañar sin mala intención a alguien.*
3. **Flotante:** *que se sostiene en equilibrio en la superficie de un líquido.*
4. **Al fin y al cabo:** *en definitiva, después de todo.*

Fuera el cielo era plomizo[1]. El mar estaba agitado y se encrespaba[2] en olas que subían hasta la superficie. Hacía demasiado frío y el viento soplaba fuerte.

Permanecía inmóvil acodado[3] en la barandilla[4], cuando una mano se posó en su hombro.

–Tranquilo hombre; soy un lobo de mar, pero no muerdo– dijo Javier divertido al ver la cara de susto[5] de Juan. –No deberías estar aquí. Está a punto de desencadenarse un temporal. Será mejor que vayas dentro; puede ser peligroso.

–Tienes razón. Además me estoy quedando helado. Me vendrá bien una copa para entrar en calor. ¿Qué te parece si compro una botella y nos la tomamos abajo?. Siempre que no tengas nada que hacer, claro.

–Acabo de terminar el turno y para un marinero, haber pasado un día más en el mar merece un brindis. Te espero en mi habitación.

El camarote de Javier era tres veces mayor que el suyo y estaba impecablemente limpio y ordenado. Era sobrio[6] y tranquilo, como su inquilino[7].

–¿Qué tal va el viaje? ¿Te encuentras cómodo en el barco?– le preguntó ofreciéndole un vaso.

–Por el momento sí. La verdad es que éste es mi primer viaje por mar, y todavía no me he hecho una idea[8] precisa. Pensaba que iba a marearme, que el barco se movería más. Además me habían hecho comentarios sobre lo peligroso de viajar en este periodo y ciertas leyendas marineras que no me tenían muy tranquilo. Pero hasta ahora, todo va bien.

–Mientras no haya tifones[9] no hay peligro. El problema es que en esta época del año y con las previsiones de tiempo que tenemos, no es seguro que vaya a seguir así. Esperemos tener suerte y que la mar no se agite demasiado.

–¡Así que es cierto lo que me habían dicho respecto a la superstición de los hombres de mar!

–Puedes llamarlo como quieras– contestó Javier un poco

21. **El tiempo no es bueno durante el viaje. Relaciona los siguientes términos con el buen o mal tiempo:**

niebla	sequía	tormenta	nieve
rayo	templado	fresco	granizo
brisa	soleado	humedad	arcoiris
hielo	trueno	despejado	estable

a) Buen tiempo: ....

b) Mal tiempo: ....

22. **Está a punto de desencadenarse un temporal. Aquí tienes otras perífrasis que indican el comienzo de una acción. Construye una oración con cada una de ellas:**

a) Ir a: ....

b) Empezar a: ....

c) Ponerse a: ....

d) Echarse a: ....

e) Comenzar a: ....

23. **Sustituye en las frases anteriores las perífrasis dadas por *acabar de / dejar de* + *Infinitivo*, que expresan el final de una acción.**

....

....

....

....

....

---

1. **Plomizo:** *de un color gris parecido al del plomo.*
2. **Encresparse:** *agitarse, producir grandes olas.*
3. **Acodado:** *apoyando los codos.*
4. **Barandilla:** *valla formada por pequeñas columnas unidas por una barra horizontal, que cierra lugares altos para impedir que las personas se caigan y permitir que se apoyen.*
5. **Susto:** *sensación de miedo o preocupación producida por un hecho inesperado; sobresalto.*
6. **Sobrio:** *sencillo y sin adornos.*
7. **Inquilino:** *persona que alquila una vivienda para vivir en ella.*
8. **Hacerse una idea:** *lograr una impresión ligera o general de una cosa.*
9. **Tifón:** *nube de forma cónica que se eleva desde la superficie del mar o de la tierra y gira rápidamente sobre sí misma.*

irritado[1], –pero te aseguro que yo llevo cuarenta años navegando y he visto cosas que la ciencia no podría explicar.

–¿A qué tipo de cosas te refieres? ¿Movimientos de agua inexperados, naufragios inexplicables?

–Me refiero a fenómenos que no se pueden nombrar porque no tienen nombre, que no se pueden describir porque son indescriptibles. Pero no quiero asustarte, en principio no hay nada de lo que preocuparse y en el caso de que lo hubiese, es muy probable que no te llegues a enterar. Los marineros, además de inventar leyendas y monstruos, suelen[2] salvar los barcos sin que los pasajeros se den cuenta.

–Lo siento, no quería ofenderte. Yo lo ignoro todo sobre el océano y tú llevas toda la vida en él. Por cierto, ¿por qué te hiciste marinero?– preguntó Juan intentando desviar el tema de conversación.

–Por miedo. Hasta los doce años ni siquiera iba a la playa, que estaba a cien metros de mi casa. Tenía terror al agua. Mi padre era pescador y el mar se tragó[3] su barca una noche de tormenta. Nunca nos devolvió su cuerpo.

Juan se sorprendió. No esperaba aquella respuesta. Javier había abierto la puerta a la sinceridad y él no quería quedarse fuera.

–Yo también estoy aquí por miedo, pero todavía no se a qué. Llevo varios años a la orilla[4] de mi vida, sin decidirme a lanzarme[5] y luchar contra viento y marea[6] por lo que quiero. Pensé que un viaje me ayudaría a encontrar una respuesta y superar mi problema.

–Entonces bienvenido. Este es tu sitio. No va a ser fácil, te lo digo por experiencia. Tendrás que enfrentarte a lo que más te asusta cara a cara, no cerrar los ojos, sino mirar a tu dolor, analizarlo y comprenderlo. La única manera de superarlo es conocerlo, y para ello se necesita sangre fría; pero estoy seguro de que tú lo puedes conseguir, y sobre

24. **Lo que no se puede describir es indescriptible. Forma los contrarios de los siguientes adjetivos utilizando el prejijo adecuado para cada caso:**

Contable   Moral

Satisfecho   Interesado

Justo   Feliz

Ilusionado   Legal

Responsable   Compatible

25. **Explica con tus propias palabras el significado de las siguientes expresiones que aparecen en el texto:**

a) Luchar contra viento y marea.

....

b) Enfrentarse a algo cara a cara.

....

c) Tener sangre fría.

....

26. **Responde a las siguientes preguntas:**

a) ¿Por qué se irrita Javier?

....

b) ¿Qué tienen en común Juan y Javier?

....

c) ¿De qué se sorprende Juan?

....

d) ¿Qué consejos le da el marinero a nuestro protagonista?

....

---

1. **Irritado:** *enfadado, molesto.*
2. **Suelen: del verbo soler:** *tener costumbre, ser frecuente una cosa.*
3. **Tragarse:** *acepción figurada; absorber y hundir lo que está en la superficie.*
4. **Orilla:** *parte de tierra más próxima al mar. En el texto en sentido figurado.*
5. **Lanzarse:** *comenzar una acción o actividad con energía, valor o violencia.*
6. **Cotra viento y marea:** *frase con la que se expresa la realización de algo a pesar de todos los obstáculos y dificultades, o la decisión de hacerlo.*

todo de que merece la pena[1]. ¡Mírame a mí!

–Gracias Javier. Imagino que se está haciendo tarde para ti– añadió mirando el reloj. –Si te parece, podemos continuar otro día.

–Claro, cuando quieras. Yo no suelo tener mucha conversación, pero me gusta escuchar y ayudar, si puedo. Buenas noches y buena suerte.

–¡Ah, se me olvidaba!: ¿crees que podría visitar la sala de máquinas?. Nunca he visto una y siento curiosidad.

–Claro. El miércoles es mi día libre. Después de desayunar te llevo a dar una vuelta por las tripas[2] de este monstruo.

–Perfecto. Gracias, marinero.

CAPÍTULO III
EL DESTINO

Durante cuatro días Juan no hizo otra cosa que reflexionar sobre lo que Javier le había dicho.

Continuaba sin poder explicarse los orígenes de su situación.

Por más que buscaba un trauma infantil, un problema no resuelto, algo que le hubiera afectado tanto como para dejarlo inmovilizado, no encontraba nada.

Lo máximo que conseguía hacer era identificar los efectos: la pasividad como padre y esposo, el abandono[3] de su familia, la ineficacia en el trabajo, la infelicidad… Pero ni rastro[4] de la causa. ¿Se estaría volviendo loco?

El miércoles 30 Juan se despertó sobresaltado y miró por el ojo de buey. Una fuerte borrasca[5] descargaba su furia[6] contra el mar agitando violentamente el barco. Un ir y venir de olas golpeaba el cristal amenazando con romperlo.

–¡Vaya, por una vez las previsiones del tiempo se cumplen! ¡Menudo temporal!– se dijo Juan mientras se vestía.

27. Responde verdadero o falso a las siguientes afirmaciones:

a)   A Juan se le hace tarde y decide ir a dormir.
....

b)   Javier no trabaja los jueves.
....

c)   Durante algunos días Juan no piensa en la conversación con Javier.
....

d)   Juan no consigue aclarar las causas de su problema.
....

e)   Las fuertes olas rompen el cristal del ojo de buey.
....

28. Completa el diario de Juan utilizando los verbos correspondientes en presente.

Miércoles 30

Me .... a las ocho sobresaltado. Me .... de la cama y .... a través del ojo de buey. Hace un tiempo horrible. Me .... y   de la habitación, ... una cita con Javier para visitar la sala de máquinas.
Nos .... prisa porque Javier .... que trabajar. Después de la visita .... a mi habitación y me .... a leer.

---

1. **Merecer la pena:** *estar bien empleado el esfuerzo, compensar.*
2. **Tripas:** *intestino, y en sentido figurado parte interior de una cosa.*
3. **Abandono:** *resultado de abandonar: dejar solo a alguien.*
4. **Rastro:** *señal que queda al pasar una persona o cosa por un lugar.*
5. **Borrasca:** *tormenta que se produce en el mar.*
6. **Furia:** *violencia producida por la rabia; enfado que no se puede controlar.*

Javier le estaba esperando para guiarle en la visita a la sala de máquinas.

–Vamos a darnos prisa, porque como ves, el día está revuelto[1] y me temo que hoy me va a tocar trabajar.

–¿Corremos algún peligro?– Juan empezaba a inquietarse[2].

–No, tranquilo. Esto es lo normal en esta época. Lo único que tenemos que hacer es mantener la calma[3] y esperar. En un par de días estaremos en las Galápagos tomando el sol.

En la sala de máquinas el ruído era ensordecedor[4].

Javier le iba explicando para qué servía cada aparato y cómo funcionaba, pero Juan oía la mitad y como tampoco entendía lo que oía se conformaba[5] con mirarlo todo.

Al final del pasillo vio una enorme puerta de hierro con una luz roja encendida y un cartel que decía: Refugio[6] de emergencia. ¡Prohibido terminantemente el paso!

Se acercó a ella señalándosela a Javier. Éste le agarró[7] del brazo y gritó:

–¡No se te ocurra entrar ahí! ¡La puerta se cierra automáticamente!

Juan oyó sólo la primera frase y dio media vuelta[8].

Cuando se dirigían hacia la salida Javier le explicó:

–Te decía que esa puerta es el acceso a la nave de emergencia. Todos los transatlánticos tienen una. Es una enorme esfera formada por varias capas de aleaciones[9] indestructibles. En caso de necesidad se convierte en una nave independiente con autonomía para veinticuatro horas. Como ves, puedes estar tranquilo, estamos completamente equipados para una situación de alarma.

–¡Ah!, no sabía que existieran estas cosas, pensé que era un invento de las películas. Ahora sí que no tengo nada que temer. Bueno Javier, te dejo que sigas trabajando. Visto como esta el día, creo que me encerraré en mi camarote a leer. Gracias de nuevo por todo.

29. Javier le dice a Juan que no entre en el refugio. ¿Qué consejos le darías a alguien en las siguientes situaciones? Utiliza el imperativo.

Ej: ¡No entres en el refugio!

a) Va a cruzar la calle cuando pasa un coche.

....

b) No te escucha cuando le hablas.

....

c) Está resfriado y quiere salir.

....

d) Ha engordado mucho.

....

e) Tiene que hacer los ejercicios de gramática.

....

f) Se ha peleado con su hermano.

....

g) Tiene faltas de ortografía.

....

30. Completa con las preposiciones adecuadas:

a) La visita duró .... las nueve .... las once y media.

b) .... la puerta .... metal .... había una luz roja.

c) .... la pared hay un cartel blanco .... letras negras.

d) Nos dirigimos .... la salida .... emergencia.

e) .... ir .... la primera planta hay que subir .... una escalera.

---

1. **Revuelto:** *variable y con tendencia a ser tempestuoso.*
2. **Inquietarse:** *preocuparse.*
3. **Mantener la calma:** *no ponerse nervioso ante una situación difícil.*
4. **Ensordecedor:** *ruído muy fuerte que impide que una persona oiga.*
5. **Conformarse:** *aceptar voluntariamente una situación o cosa que no es perfecta o que no satisface completamente.*
6. **Refugio:** *lugar en el que se entra para protegerse o defenderse.*
7. **Agarrar:** *coger con fuerza algo o a alguien, especialmente con las manos.*
8. **Dar media vuelta:** *irse de un sitio.*
9. **Aleaciones:** *metales formados por dos o más elementos de los cuales al menos uno es un metal.*

Después de seis horas y con un terrible dolor de cabeza provocado por el continuo vaivén[1], se tomó un par de somníferos y cayó en un profundo sueño.

Se despertó helado de frío y con una extraña sensación.

Sudaba y tenía escalofríos[2] al mismo tiempo.

No sabía cuantas horas había dormido, pero fuera era completamente de noche y la tempestad parecía mucho más intensa.

Cuando intentó levantarse un fuerte golpe lo devolvió a la cama. Se arrastró hasta el interruptor, pero la luz no se encendió. La corriente estaba cortada.

Se incorporó como pudo y se dirigió a la habitación de Javier. Aporreó[3] la puerta y los golpes resonaron en todo el pasillo. Javier no respondía y un silencio espectral[4] reinaba en toda la planta.

Corrió de una puerta a otra comprobando que todos los camarotes estaban vacíos. Le habían dejado completamente solo.

Le temblaban las piernas y le costaba respirar.

Mientras avanzaba hacia la salida de emergencia le pareció que alguien le observaba. A través de una ventanilla vio brillar dos ojos. Algo le perseguía a través del mar. Al llegar a la puerta oyó ruídos y voces provenientes de la primera planta, y de repente, una serie de fuertes disparos.

Creyó entenderlo todo. Estaban siendo atacados por una criatura marina y los disparos eran la señal para que acudieran[5] al refugio.

Corría, corría y el monstruo nadaba paralelo a él. Estaba realmente cerca cuando alcanzó la puerta y entró.

Un crac metálico sonó tras él.

No había nadie, pero se tranquilizó a sí mismo pensando que él había llegado antes porque estaba en la planta baja.

El refugio era enorme. Miró hacia arriba impresionado y descubrió una claraboya[6] que daba al mar.

Comenzó a temblar ante la posibilidad de que aparecieran de nuevo los ojos.

31. Reescribe el texto cambiando el pasado por presente desde *Se despertó helado de frío* hasta *un silencio espectral reinaba en toda la planta.*

....
....
....
....
....
....
....
....
....
....

32. Juan cree que una criatura marina le persigue. ¿Cómo imaginas tú este monstruo?

....
....
....
....
....
....

---

1. **Vaivén:** *movimiento de un cuerpo, primero hacia un lado y después hacia el contrario.*
2. **Escalofríos:** *sensación de frío producida por la fiebre o por el miedo.*
3. **Aporrear:** *dar golpes de manera repetida.*
4. **Espectral:** *misterioso, fantasmal.*
5. **Acudir:** *ir a un lugar para hacer una cosa determinada o responder a una llamada.*
6. **Claraboya:** *ventana abierta en el techo.*

Era extraño que los demás tardasen tanto. Intentó abrir la puerta para facilitar el acceso a los demás y se dio cuenta de que estaba atrapado[1] dentro.

Algo golpeó la claraboya.

Juan no quería mirar hacia arriba. Sentía pánico. No podía mover un músculo. Se acordó de las palabras de Javier:

–Tendrás que enfrentarte al terror cara a cara y no cerrar los ojos.

Se situó bajo el cristal y alzó la vista. Un ser horrible le miraba fijamente.

Juan lloraba, gritaba, suplicaba[2], pero no apartaba la vista. El monstruo empezó a transformarse.

Primero tomó el aspecto de alguien que se parecía mucho al padre de Juan. En pocos minutos apareció claramente el rostro de su madre. Iniciaron a desfilar las caras de sus amigos de infancia, de gente que Juan ya casi había olvidado, pero que al verla reconocía como personas queridas a las que había estado muy unido en otra época.

Durante un tiempo ilimitado una aparición sustiuía a otra hasta que se formaron las imágenes de Kiko y Ana, los seres que Juan más había querido en toda su vida.

El espectáculo era atroz[3], sin embargo, Juan no estaba seguro de que aquel animal fuera violento, de que estuviera a punto de atacarle. Le enviaba señales, le estaba intentando enseñar algo cuyo significado no alcanzaba[4] a comprender.

Un segundo de oscuridad, e improvisadamente apareció su propio reflejo.

Amarillo como la cera, con los ojos desorbitados[5] y las mandíbulas desencajadas[6], el otro Juan golpeaba desesperadamente el cristal desde la otra parte.

Era espeluznante[7], pero sin saber por qué Juan sintió lástima y ternura por aquella figura y alzó los brazos ofreciéndole ayuda. En ese momento desapareció.

Vencido por la tensión, Juan perdió el conocimiento.

Cuando se despertó continuaba solo y encerrado en el

33. **Busca en el texto al menos un sinónimo de las siguientes palabras:**

encerrado
periodo
horrible
agresivo
pena
conciencia

34. **En el texto aparecen varios términos relacionados con el miedo; los encontrarás en esta lista, pero atención, hay cuatro intrusos. Descúbrelos.**

Atroz	terror	atacar	cariño
Horrible	pánico	precioso	llorar
Espeluznante	ternura	violento	suplicar
Fenomenal	lástima	gritar	tensión

35. **¿Cuántas veces se transforma el monstruo y en quién?**

....
....
....
....

---

1. **Atrapado:** *encerrado sin posibilidad de escapar.*
2. **Suplicar:** *implorar. Pedir algo a alguien con humildad.*
3. **Atroz:** *muy cruel.*
4. **Alcanzar:** *alcanzar a y un verbo de percepción significa poder hacer lo que ese verbo expresa. En este caso comprender.*
5. **Desorbitados:** *muy abiertos, con expresión de ansia, cólera o terror.*
6. **Desencajadas:** *fuera de su sitio. Con las facciones de la cara alteradas por el terror.*
7. **Espeluznante:** *que causa miedo o terror.*

refugio, pero a través de la claraboya resplandecía un cielo azul y limpio y se colaban[1] los rayos del sol.

Le invadió una sensación de paz que hacía mucho tiempo que no experimentaba. Se sentó mirando al cielo y sonrió. Vio claro que había pasado toda su vida aislándose, encerrándose en su refugio y dejando fuera a todos, incluídos los más queridos. Sólo si estaba solo no podrían abandonarle, dejarle solo definitivamente. Su terror era la soledad impuesta[2] y definitiva; quedarse solo para siempre. Su reacción había sido una vacuna[3] contra la enfermedad que le mataría de dolor.

Un sonido metálico le sacó de sus pensamientos.

La puerta se había abierto. Juan se levantó y salió.

–¡Feliz Año Nuevo!– le gritó Javier al abrirle la puerta de su camarote.

–¿Qué? ¿Hoy es día uno? ¿Ya?

–Pues claro hombre. ¿Dónde te has metido? ¿Has estado enfermo?

–No. Bueno, sí. Pero ahora estoy curado, me encuentro mejor que nunca.

–Me alegro. Anoche me extrañó no verte en la fiesta de Fin de Año. Pensé que querías estar solo. Cuando el capitán se preparó para los doce disparos en cubierta bajé a buscarte. Es una tradición marinera inaugurar el año así, sustituyendo las campanadas[4] por cañonazos[5]. Quería que lo vieras, pero no te encontré.

–Necesitaba estar solo para saber que puedo estar solo. Es curioso que ahora que lo sé, lo que más deseo es regresar a casa y abrazar a mi mujer y a mi hijo.

–Me alegro Juan. Te has convertido en todo un hombre de mar que ha encontrado su lugar en la tierra. Disfruta de las Islas Galápagos porque ya no serás nunca más un náufrago.

Tu viaje ha llegado a puerto.

36. *Sólo si estaba solo.* ¿Qué diferencia hay entre *sólo* con tilde y *solo* sin ella?

....
....
....
....

¿Y entre los siguientes pares de palabras?

a) Más/mas

....

b) Sí / si

....

c) Aún / aun

....

d) Té / te

....

e) Dé / de

....

37. En el texto se menciona una tradición marinera. ¿Cuál?

....
....
....
....

¿Cómo se celebra esta noche en tu país? Descríbela nombrando alguna tradición popular.

....
....
....
....

---

1. **Colarse:** *pasar por un lugar estrecho, introducirse sin permiso.*
2. **Impuesta:** *obligatoria.*
3. **Vacuna:** *sustancia que protege de ciertas enfermedades o que evita que se desarrollen.*
4. **Campanadas:** *sonidos que produce cada golpe de una campana.*
5. **Cañonazos:** *disparos hechos con un cañón.*

CAPÍTULO IV
UN MUNDO NUEVO

Durante su estancia[1] en las Galápagos, Juan se dio cuenta de que miraba a su alrededor desde una perspectiva nueva. El mundo le parecía un lugar armónico porque sus elementos formaban parte de él y él era una pieza del mundo.

Sintió que todos los colores pertenecían a un único color, que todos los animales y las diversas plantas y minerales eran hijos de la madre naturaleza, que todos los hombres eran miembros de la familia humanidad.

La idea de lo único le llevó a pensar que era ridículo sentirse solo, y aún más estúpido tener miedo a la soledad. Además llegó a la conclusión de que la mayor parte de los miedos que sufrimos los humanos son tan absurdos que se presentan acompañados de su contrario:

los que tienen miedo a la soledad tienen en el fondo miedo al amor, el que siente terror ante el dolor es probable que tema la muerte donde ya nada se siente, a quien angustia no estar a la altura[2] de un trabajo o de una situación, también le suele parecer horrible la idea no de ser incapaz, sino de ser mediocre[3] y a veces hasta de ser el mejor y tener que afrontar la responsabilidad que esto conlleva.

En fin, como decíamos, es algo tan simple que se necesita mucho tiempo para entenderlo.

Pero él lo había conseguido, ahora veía claro que todo lo que se necesita para vivir es no cerrar los ojos, ser valiente y no esconderse de nada, ni de las grandes cosas buenas ni de las pequeñas cosas malas.

Recordó la carita de Kiko y le invadió una inmensa alegría. Enseñaría a su hijo todo lo que había aprendido y haría que se sintiera orgulloso de su nuevo padre.

Había llegado el momento de volver.

38. ¿Tú qué opinas sobre la teoría de Juan de los miedos humanos? ¿Estás de acuerdo con él? Justifica tu respuesta.

....
....
....
....
....
....

39. ¿Cuántos tipos de miedos conoces? Haz una lista y señala los que has sentido alguna vez.

....
....
....
....
....
....
....

40. Imagina como será la nueva vida de Juan. Redacta lo que hará y lo que no hará nunca más después de su viaje a las Islas Galápagos.

....
....
....
....
....
....
....

---

1. **Estancia:** *permanencia durante cierto tiempo en un lugar.*
2. **Estar a la altura:** *saber comportarse de modo adecuado en una situación.*
3. **Mediocre:** *que no es inteligente; que no tiene capacidad para la actividad que realiza.*

• PRIMERAS LECTURAS •

Arciniega	EL MAGO PISTOLERO
Arciniega	TERREMOTO EN MEJICO D.F.
Busch	MAX Y MORITZ
Cerrada Dahl	TITANIC
de la Helguera	LA MÁSCARA DE BELLEZA
Del Monte	JUEGA CON LA GRAMÁTICA ESPAÑOLA
Díez	EL CARNAVAL DE RÍO DE JANEIRO
Díez	EL GATO GOLOSO
Hoffmann	PEDRO MELENAS
Maqueda	EL FANTASMA CATAPLASMA

• LECTURAS SIN FRONTERAS •

Anónimo	EL ROMANCERO VIEJO
Arciniega	AMISTAD
Bazaga Alonso	LA ARMADA INVENCIBLE
Del Monte	JUEGA CON LA GRAMÁTICA ESPAÑOLA
Gómez	LA ISLA ENCANTADA
Ibáñez	ENTRE NARANJOS
Manuel	EL CONDE LUCANOR
Tirso de Molina	EL BURLADOR DE SEVILLA
Ullán Comes	LA NOCHE DE HALLOWEEN

• LECTURAS SIMPLIFICADAS •

Anónimo	EL CID CAMPEADOR
Anónimo	EL LAZARILLO DE TORMES
Arciniega	EVITA PERÓN
Arciniega	LOS SUPERVIVIENTES DE LOS ANDES
Bazaga Alonso	EL MISTERIO DE MOCTEZUMA
Bazaga Alonso	EL MONSTRUO DE LAS GALÁPAGOS
Carmos	LA NIÑA DE ORO
Cervantes	DON QUIJOTE DE LA MANCHA
Cervantes	RINCONETE Y CORTADILLO
Del Monte	JUEGA CON LA GRAMÁTICA ESPAÑOLA
Gómez	RAPA NUI. El misterio de la isla de Pascua
Mendo	EL CASO DEL TORERO ASESINADITO
Mendo	DELITO EN CASABLANCA
Shelley	FRANKENSTEIN
Toledano	EL TRIÁNGULO DE LAS BERMUDAS
Ullán Comes	DELITO EN ACAPULCO
Ullán Comes	EL VAMPIRO

• CLÁSICOS DE BOLSILLO •

Alarcón	EL SOMBRERO DE TRES PICOS
Anónimo	EL LAZARILLO DE TORMES
Bazán	LA GOTA DE SANGRE y otros cuentos policiacos
Bécquer	LEYENDAS
Calderón de la Barca	LA VIDA ES SUEÑO
Cervantes	NOVELAS EJEMPLARES
Clarín	CUENTOS
de Rojas	LA CELESTINA
Donoso	EL LUGAR SIN LÍMITES
Galdós	TRAFALGAR
Lope de Vega	NOVELAS Y MARCIA LEONARDA
Moratín	EL SÍ DE LAS NIÑAS
Quevedo	EL BUSCÓN
Valera	LA BUENA FAMA y otros cuentos
Zorrilla	DON JUAN TENORIO

• EASY READERS •

Alcott	LITTLE WOMEN
Barrie	PETER PAN
Baum	THE WIZARD OF OZ
Bell	PLAY WITH ENGLISH GRAMMAR
Bell	PLAY WITH ENGLISH WORDS
Bell	PLAY WITH THE INTERNET
Bell	PLAY WITH... VOCABULARY
Brontë	WUTHERING HEIGHTS
Burnett	THE SECRET GARDEN
Carroll	ALICE IN WONDERLAND
Cooper	THE LAST OF THE MOHICANS
Coverley	THE CHUNNEL
Coverley	THE GREAT TRAIN ROBBERY
Defoe	ROBINSON CRUSOE
Demeter	ATTACK ON FORT KNOX
Demeter	JOHNNY THE GODFATHER
Dickens	A CHRISTMAS CAROL
Dickens	OLIVER TWIST
Dolman	KING ARTHUR
Dolman	ROBIN HOOD STORIES
Dolman	THE LOCH NESS MONSTER
Dolman	THE SINKING OF THE TITANIC
Dolman	THE STORY OF ANNE FRANK
Grahame	THE WIND IN THE WILLOWS
Haggard	KING SOLOMON'S MINES
Hetherington	THE BATTLE OF STALINGRAD
James	GHOST STORIES
Jerome	THREE MEN IN A BOAT
Kingsley	THE WATER BABIES
Kipling	JUNGLE BOOK STORIES
London	THE CALL OF THE WILD
London	WHITE FANG
Melville	MOBY DICK
Poe	BLACK TALES
Raspe	BARON MÜNCHHAUSEN
Scott	AMERICAN INDIAN TALES
Scott	FOLK TALES
Scott	IVANHOE
Shakespeare	ROMEO AND JULIET
Shakespeare	MIDSUMMER NIGHT'S DREAM
Shelley	FRANKENSTEIN
Spencer	THE GIRL FROM BEVERLY HILLS
Stevenson	DR JEKILL AND MR HYDE
Stevenson	TREASURE ISLAND
Stoker	DRACULA
Stowe	UNCLE TOM'S CABIN
Swift	GULLIVER'S TRAVELS
Twain	TOM SAWYER
Twain	HUCKLEBERRY FINN
Twain	THE PRINCE AND THE PAUPER
Wallace	KING KONG
Whelan	A STATUE OF LIBERTY
Whelan	DRACULA'S WIFE
Wrenn	PEARL HARBOR
Wright	DRACULA'S TEETH
Wright	ESCAPE FROM SING-SING
Wright	THE ALIEN
Wright	THE BERMUDA TRIANGLE
Wright	THE MUMMY
Wright	THE MURDERER
Wright	THE NINJA WARRIORS
Wright	THE WOLF
Wright	YETI THE ABOMINABLE SNOWMAN

• INTERMEDIATE READERS •

Austen	EMMA
Austen	PRIDE AND PREJUDICE
Bell (NO CASSETTE/CD)	PLAY with English GRAMMAR
Bell (NO CASSETTE/CD)	PLAY with English WORDS
Bell (NO CASSETTE/CD)	PLAY with... VOCABULARY

Play and Learn... ARIES • TAURUS • GEMINI •
CANCER • LEO • VIRGO • LIBRA • SCORPIO •
SAGITTARIUS • CAPRICORN • AQUARIUS •
PISCES

	BEOWULF
Brontë	JANE EYRE
Bunyan	THE PILGRIM'S PROGRESS
Chaucer	THE CANTERBURY TALES
Collins	THE WOMAN IN WHITE
Coverley	MY GRANDDAD JACK THE RIPPER
Defoe	MOLL FLANDERS
Fielding	JOSEPH ANDREWS
Fielding	TOM JONES
Hardy	FAR FROM THE MADDING CROWD
Hawthorne	THE SCARLET LETTER
James	THE PORTRAIT OF A LADY
James	WASHINGTON SQUARE
Lawrence	LADY CHATTERLEY'S LOVER
Lawrence	WOMEN IN LOVE
Leroux	THE PHANTOM OF THE OPERA
Richardson	PAMELA
Thackeray	VANITY FAIR
Schreiner	STORY OF AN AFRICAN FARM
Shakespeare	ANTONY AND CLEOPATRA
Shakespeare	AS YOU LIKE IT
Shakespeare	HAMLET
Shakespeare	HENRY V
Shakespeare	KING LEAR
Shakespeare	MACBETH
Shakespeare	MUCH ADO ABOUT NOTHING
Shakespeare	OTHELLO
Shakespeare	ROMEO AND JULIET
Shakespeare	The MERRY WIVES OF WINDSOR
Stevenson	KIDNAPPED
Wright	AMISTAD
Wright	BEN HUR
Wright	HALLOWEEN
Wright	RAPA NUI
Wright	THE BERMUDA TRIANGLE
Wright	THE MONSTER OF LONDON
Wright	WITNESS

• POCKET CLASSICS (selection) •

Conrad	HEART OF DARKNESS
Dickens	A CHRISTMAS CAROL
Dickinson	SELECTED POEMS
Doyle	SHERLOCK HOLMES
James	THE TURN OF THE SCREW
Jerome	THREE MEN IN A BOAT
Lawrence	ENGLAND, MY ENGLAND
London	THE CALL OF THE WILD
Mansfield	IN A GERMAN PENSION
Maugham	RAIN
Melville	BILLY BUDD, SAILOR
Poe	THE MURDERS IN THE RUE MORGUE
Shakespeare	AS YOU LIKE IT
Shakespeare	A MIDSUMMER NIGHT'S DREAM
Shakespeare	MUCH ADO ABOUT NOTHING
Shaw	MRS WARREN'S PROFESSION
Shelley	FRANKENSTEIN
Stevenson	DR JEKILL AND MR HYDE
Whitman	LEAVES OF GRASS
Wilde	AN IDEAL HUSBAND
Wilde	THE IMPORTANCE OF BEING EARNEST
Wilde	THE PICTURE OF DORIAN GRAY

© 2003 La Spiga languages • IMPRIME TECHNO MEDIA REFERENCE • MILÁN • ITALIA
DISTRIBUIDO POR MEDIALIBRI • VIA IDRO 38 • 20132 MILÁN • ITALIA • TEL. 02 27207255 • FAX 02 2567179